NTC Language Masters

for
Beginning
FRENCH
Students

Clare Cooke

National Textbook Company
a division of *NTC Publishing Group* • Lincolnwood, Illinois USA

This edition first published 1996 by National Textbook Company,
a division of NTC Publishing Group,
4255 W. Touhy Avenue, Lincolnwood (Chicago), Illinois U.S.A. 60646-1975.
© 1994 Language Centre Publications Ltd.

5 6 7 8 9 VP 0 9 8 7 6 5 4 3 2 1

TABLE OF CONTENTS

TEACHER'S NOTES

NTC Language Masters for Beginning French Students provides activities on photocopiable worksheets that can be used for students in the early stages of language learning to introduce and reinforce basic vocabulary across a range of topics. Even more advanced students will enjoy the worksheets as they review previously introduced vocabulary.

The topics, which are independent of one another, can be used in any order and adapted for use in any type of teaching/learning context. As far as possible, the activities are self-explanatory and the directions short. Instructions, where they appear, are in the target language. You may want to add extra instructions before copying or explain the sheet verbally where necessary.

Topic Setup

Within each of the eight topics, a similar format has been used, providing a certain amount of progression from the first sheet to the last. Most topics have six activity sheets. Here is the setup for each topic:

1st Sheet:
- Provides a visual presentation of vocabulary that students can use for reference as they work on later sheets.
- Labels can be blocked out before copying to test vocabulary.
- Sheet can be enlarged and colored by students to make posters.

2nd Sheet:
- Generally a game sheet. It can be used for picture/word matching activities, including simple ones in which students write numbers or letters to match words and pictures.
- Sheet can be copied on heavy paper, cut up, and used in various kinds of matching games, such as Concentration-type games or games in which students need to make some kind of association between items.
- Sheet can be copied on heavy paper to make dominoes.
- It can be used for card games such as Fish.
- Sheet can be used for various other speaking activities, picture dictation, stimulus for role play, and question-and-answer activities.

3rd/4th Sheets: Provide a range of activities based on matching pictures and words; often the words are complete, but in some cases, students put together or unscramble words. This helps with reading and recognition, and reinforces spelling. Students could complete the sheets either from memory or by looking at the first sheet for reference.

5th/6th Sheets: The words to be practiced no longer appear on the sheet. Other language often appears on the sheets. The activities require students to complete them from memory (although the first sheet for each topic, with the words, could be referred to at any time by those who need it). The activities rely more on language clues rather than visual clues, but there is still a puzzle element involved.

Suggestions for Use

- Photocopy the first sheet for each topic or the second sheet (*Carte de jeux*) onto a transparency for whole class presentation and vocabulary practice.
- Photocopy the first sheet for each topic onto heavy paper (in a different color) so that students can see where to go for help when and if they need it.

- Use for independent work or reinforcement of vocabulary while the class is working on a topic.
- Use for end-of-class or fill-in activities.
- Have students keep a personal record of the sheets they have completed.
- Use sheets for review, homework, or fill-in lessons.

Specific directions for sheets are given below.

DANS MON SAC

SHEET 3   Although this sheet introduces *mon, ma,* and *mes,* the students only have to recognize the item of vocabulary and draw it in the appropriate box. They might write out a sentence about each one, e.g., *Ma calculette est neuve.*

    The grid at the bottom can be used for this and any other topic in the pack. It can be used in a variety of ways: Students can fill in the empty squares with pictures of words from a particular topic. Working in pairs, through question and answer, they then can attempt to discover the items their partner has chosen. For example, STUDENT A: *"B1, c'est un stylo?"* STUDENT B: *"Non. Ce n'est pas un stylo."* If the answer is yes, then A can have a second attempt; if not, it is B's turn. As in the game "Battleships," the winner is the first person who correctly guesses all items and locations. The game can be limited and made easier by providing a list of the items to be used, or by blocking out some of the squares before copying.

SHEET 4   Each sentence gives a clue to a letter; the letters spell out a mystery object. Students may then make up their own *Que suis-je?*

SHEET 5   By spelling out *un taille-crayon,* students can begin to fill in the letters represented by the symbols. From these, they can then go on to figure out what they are being asked to draw for the other coded words. Gradually they can fill in all the letters at the bottom of the sheet.

SHEET 6   Crossword. *Sac* is the extra word.

J'AIME LES ANIMAUX

SHEET 10   Students mark all the animal names found inside the pictures, or copy out the lists. The word e*scargot* is introduced with the picture. Students can then fill in their own words and make their own word chain.

SHEET 11   *Escargot* is also hidden in the box.

SHEET 12   Anagrams on food bowls are to be joined to the correct animal.

SHEET 13   Students complete the notes by adding the names of the pets pictured. They might use the notes as models to write their own.

EN VILLE

SHEET 16   Starting from the square labeled school (*collège*), the symbol in that square identifies the place to be moved to next (in this case, to the *café*). At any time, students can move only to a square that touches the one they are on. Students fill in the places visited on the grid below.

SHEET 17   Students look at the first plan and then the second to see which places have changed. Students then check off these places on the grid. Plans could also be used by students in pair tasks: some items could be blocked out before copying and then used for information gap activities, e.g., *La poste est entre.* . . . At the bottom, students find one word in each grid.

SHEET 18   Students fill in the missing vowels to complete the sign posts. Students in pairs could then give each other one letter at a time for the other to guess the destination.

SHEET 19   Multiple choice answers to complete the sentences. For the second task, students could complete the sentences and then make up some nonsense possibilities, either using language on the page or adding their own.

LES SPORTS

SHEET 22   Students match the three pictures given to the four words to find the word that doesn't belong. New vocabulary: *le golf, le squash, le badminton, la boxe,* and *le karate.* Second activity: Pictures give a clue to the category. Students find the word that doesn't belong.

SHEET 23   Students read the sentence and match it to the sport.

SHEET 25   Students identify the picture extract to name the sport. More advanced students could write a sentence about the sport, giving their opinions, etc.

MIAM MIAM!

SHEET 28   Anagrams for foods in a café. Students complete the bill from the words at the top of the sheet.

SHEET 29   Students figure out picture clues to complete the grid. They can write their results in sentences, e.g., *Il y a trois sandwichs.*

SHEET 30   Students plan their own party and make up a menu for food and drink.

SHEET 31   A lot of new vocabulary is used here. The activity may only be accessible to more advanced students who have a French dictionary available.

LES COULEURS

SHEET 34   Students follow the arrows through the grid to complete the sentences. From the object, they move to the correct color. The arrow points to the next object. Some explanation of *Tant pis!* and *Pas ici!* may be needed.

SHEET 35   Students find the color that doesn't belong.

SHEET 36   Anagrams in which the picture is not always a clue to the correct color.

SHEET 37   Introduces s*oleil* as a mystery word. Three new words—*cercle, triangle,* and *carré*—are introduced. Concept of "s" plural, as used in nouns and adjectives. The sheet can be cut in half and plurals covered in more depth if necessary.

MA FAMILLE

SHEET 41   Listing words can be done from memory or from sheet 38. Students can then write sentences about their own family from these models.

SHEET 42   From the words given, students begin to crack the code, and with reference to the names of family members on sheet 38, they can complete the other words and discover the name of the dog.

SHEET 43   Includes words for dog, rabbit, and television. Students might write a letter in reply.

CHEZ MOI

SHEET 46   Students match up two halves of words in the windows, from memory or with sheet 44.

SHEET 47   First activity: Students connect simple sentences to the rooms in the house. Second activity: Students unravel word boxes to find things in the house.

SHEET 48   Students identify mystery objects from the large picture and write which room they come from. More advanced students could then add further information about the room.

SHEET 49   Students could draw the house and add their own information to change some of the details, or write about their own house or a fantasy house.

ANSWERS

DANS MON SAC

Feuille d'activités 3   J'ai oublié
(Pictures of) stylo, gomme, livre, colle, sac, crayon, cahier, feutres, compas.

Feuille d'activités 4   Qui suis-je?
Calculette.

Feuille d'activités 5   Qu'est-ce que c'est?
un taille-crayon; (pictures of) la colle, un cahier, une trousse, une gomme.

Feuille d'activités 5   C'est quelle lettre?
a, c, e, l, u, n, g, o, m, h, t, s, y, i, r.

Feuille d'activités 6   Mots croisés

Horizontalement	*Verticalement*
1. gomme	1. trousse
2. crayon	2. compas
3. règle	3. calculette
4. feutres	4. colle
5. stylo	Et quoi d'autre? sac
6. cahier	

J'AIME LES ANIMAUX

Feuille d'activités 10   Cherche les animaux!
(Spider's web) araignée, cochon d'Inde, serpent, tortue, cheval, lapin, poisson, perroquet, mouton.
(Snake) lapin, chat, tortue, chien, cheval, lapin, poisson, vache, souris, serpent.

Feuille d'activités 11   Trouve les mots!
mouton, araignée, perroquet, tortue, cheval, poisson, lapin, cochon, vache, souris.

Feuille d'activités 12   C'est pour qui?
serpent, tortue, chien, poisson, souris, perroquet, lapin, cheval, cochon.

Feuille d'activités 13   Chez moi
un lapin, une araignée, (un) serpent, (deux) chats, un poisson, une tortue, une souris (et) un cheval.

Feuille d'activités 13   Mots croisés
Horizontalement chat, chien, perroquet, souris. *Verticalement* araignée, cochon d'Inde, tortue.

EN VILLE

Feuille d'activités 16   Je rentre chez moi.
1. collège 2. café 3. cinéma 4. église 5. musée 6. banque 7. gare 8. poste 9. syndicat d'initiative 10. piscine 11. commissariat 12. centre sportif 13. hôtel de ville 14. supermarché 15. parking 16. chez moi!

Feuille d'activités 17   Les plans de la ville
le collège, la piscine, le cinéma, le commissariat, la poste.

Feuille d'activités 17
A. le collège B. la piscine C. le cinéma D. la banque

Feuille d'activités 18   Où vas-tu?
cinéma, syndicat d'initiative, poste, collège, centre sportif, piscine, supermarché, commissariat, musée, hôtel de ville.

Feuille d'activités 18   Le tracmots
musée, supermarché, syndicat, piscine, église, collège, poste, café, banque, cinéma.
Feuille d'activités 19   En ville : un quiz
1. au marché 2. au centre sportif 3. à la poste 4. au musée 5. à la gare
Feuille d'activités 19   Je voudrais... Il me faut...
un cinéma, une banque, une piscine, un syndicat d'initiative, un café.

LES SPORTS

Feuille d'activités 22   Cherche l'intrus!
la danse, le jogging, la natation, le golf, le cyclisme, le tennis.
l'équitation, le jogging, le cyclisme, le ski, la natation.
Feuille d'activités 23   Un quiz
1. le tennis 2. le volley 3. la voile 4. le basket 5. le cyclisme 6. le ski 7. la danse 8. le judo 9. l'équitation 10. la natation
Feuille d'activités 24   Cherche les sports!
voile, ski, tennis, jogging, natation, karate, cyclisme, danse, volley, golf, judo, canoë, squash.
Feuille d'activités 24   Regarde les dessins!
golf, squash, karate.
Feuille d'activités 25   C'est quel sport?
1. le volley 2. le basket 3. la natation 4. la voile 5. le judo 6. le ski 7. le canoë 8. le jogging 9. le football 10. le tennis

MIAM-MIAM!

Feuille d'activités 28   C'est combien?
poulet, sandwich, pizza, limonade, hamburger, haricots, chips, lait, frites, glace, coca.
Feuille d'activités 28   L'addition
frites 15f, lait 12f, coca 12f, 2 hamburgers 56f, chips 8f, glace 30f. Total 133f.
Feuille d'activités 29   J'ai mangé...!
3 sandwiches, 4 hamburgers, 2 cocas, 3 poulets, 2 chips, 4 pains, 3 glaces, 2 fromages, 2 pizzas, 1 frites.
Feuille d'activités 30   La surprise-partie
À manger: cacahuètes, pain, chips, fromage, hamburger, glace.
À boire: coca, eau minérale, limonade, lait.
Feuille d'activités 31   Choisissez!
1. **C** pommes de terre 2. **A** avec de la sauce tomate 3. **B** d'Italie 4. **B** un fromage 5. **A** de la crème 6. **B** des fruits 7. **A** des fruits et du sucre 8. **C** d'un cochon 9. **A** rouges 10. **A** des cacahuètes

LES COULEURS

Feuille d'activités 34   Le ballon est de quelle couleur?
1. bleu 2. jaune 3. brun 4. gris 5. rose 6. orange 7. rouge 8. gris
Feuille d'activités 35   Cherche l'intrus!
gris, noir, bleu, orange, rose, gris
Feuille d'activités 36   Les couleurs folles!
Les papillons bizarres! 1. jaune 2. bleu 3. rouge 4. vert 5. brun
C'est de quelle couleur? 1. argent 2. orange 3. vert 4. rose 5. bleu
Des fruits exotiques 1. orange 2. jaune 3. violet 4. noir 5. rouge
Feuille d'activités 37   Je suis de quelle couleur?
soleil, jaune

MA FAMILLE

Feuille d'activités 40   Le tracmots
frère, soeur, grand-père, tante, fils unique, mère, père, cousin, oncle, cousine, belle-mère.

trois frères, deux soeurs.

Feuille d'activités 41   Complète les cases!
Les Parents 1. le père 2. la mère

Les Grands-parents 1. le grand-père 2. la grand-mère

La Famille 1. le demi-frère 2. le frère 3. moi 4. la soeur

La famille de la soeur de mon père 1. l'oncle 2. la tante 3. le cousin 4. la cousine

Feuille d'activités 41   Qui est-ce?
1. Grégoire est mon grand-père. 2. Estelle est ma cousine. 3. Gérard est mon oncle. 4. Monique est ma mère. 5. André est mon demi-frère. 6. Nadine est ma soeur.

Feuille d'activités 42   Voici ma famille
1. le frère 2. la mère 3. la tante 4. le père 5. le demi-frère 6. le grand-père 7. la cousine 8. la soeur 9. l'oncle 10. la belle-mère

Le chien s'appelle Flipper.

Feuille d'activités 42   C'est quelle lettre?
I B L E O M R S U C N A G D P T F

Feuille d'activités 43   Une lettre
famille, famille, frère, soeur, père, mère, grand-père, grand-mère, chien, lapin, télévision.

CHEZ MOI

Feuille d'activités 46   C'est quelle pièce?
chambre, salle à manger, cuisine, grenier, salon, escalier, cave, maison.

Feuille d'activités 47   Je suis dans...
1. le salon 2. la salle à manger 3. la chambre 4. la cave 5. la cuisine 6. la salle de bains 7. l'escalier 8. le jardin

Feuille d'activités 47   C'est où?
A salle à manger, cave. B cuisine, grenier. C fenêtre, escalier.

Feuille d'activités 48   C'est où?
1. C'est la chambre. 2. C'est le salon. 3. C'est la salle à manger. 4. C'est la cuisine. 5. C'est la salle de bains. 6. C'est la fenêtre. 7. C'est l'escalier. 8. C'est la cave. 9. C'est la porte. 10. C'est le jardin.

Feuille d'activités 49   Une lettre
maison, jardin, porte, un salon, une salle à manger, cuisine, fenêtre, l'escalier, chambres, salle de bains, grenier, souris, une cave, vin.

NOM _____

DANS MON SAC

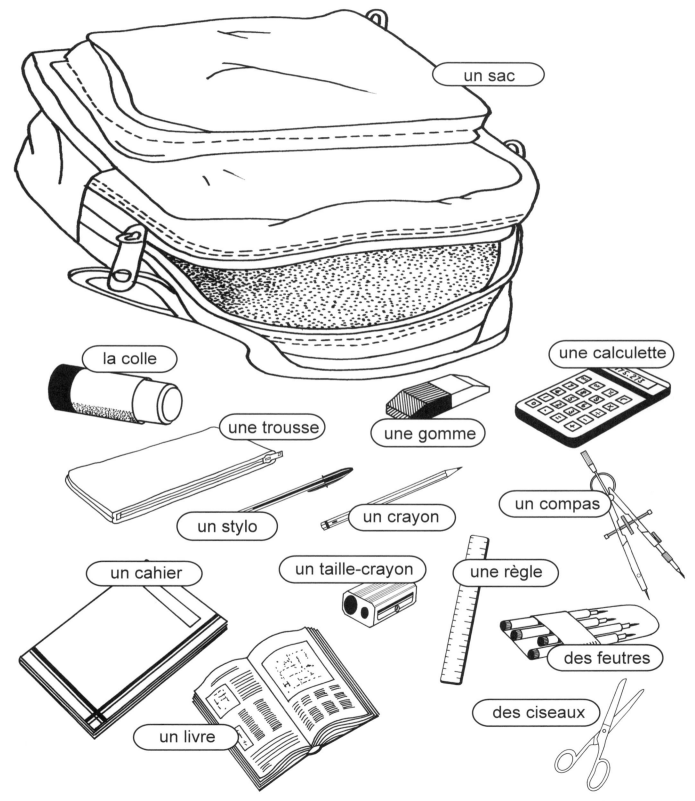

un sac

la colle

une calculette

une trousse

une gomme

un compas

un stylo

un crayon

un cahier

un taille-crayon

une règle

des feutres

un livre

des ciseaux

NOM _____

CARTE DE JEUX

une trousse		un sac	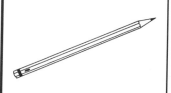
un taille-crayon		un crayon	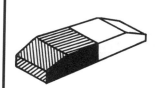
un livre		une gomme	
une règle		une calculette	
un cahier	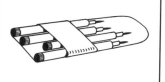	des feutres	
un compas		des ciseaux	
la colle	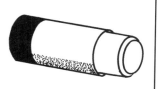	un stylo	

NOM _____

J'AI OUBLIÉ

mon stylo	ma règle	ma calculette	ma gomme
mon livre	mon taille-crayon	ma colle	mon sac
mon crayon	mon cahier	mes feutres	mon compas

	A	**B**	**C**	**D**
1				
2				
3				

NOM _____

QUE SUIS-JE?

Ma première lettre est dans crayon et dans cahier.

Ma deuxième est dans sac.

Ma troisième est dans règle et dans stylo.

Ma quatrième est dans compas mais pas dans livre.

Ma cinquième est dans ciseaux et dans feutres.

Ma sixième est comme la troisième.

Ma septième est dans collège et dans colle.

Ma huitième et ma neuvième sont devant trousse.

Ma dixième est ma septième aussi.

Maintenant vas-y toi!

Écris ton propre
"Que suis-je?"

Regarde dans ton sac!

Écris une liste de ce
que tu vois!

QU'EST-CE QUE C'EST?

-

Dessine....

u n s t y l o

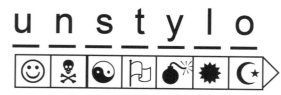

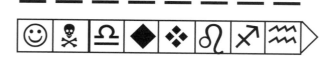

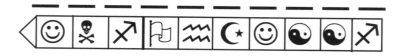

C'est quelle lettre?

◆	♎	↗	✹	☺	☠	☸	☾★	⌘	❖	⚑	☯	💣	♌	♒

MOTS CROISÉS

Horizontalement

1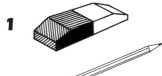

2

3

4

5

6

Verticalement

1

2

3

4

Et quoi d'autre?

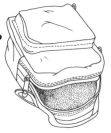

NOM _____

J'AIME LES ANIMAUX

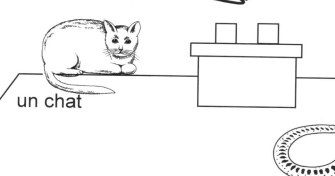

un chat

un serpent

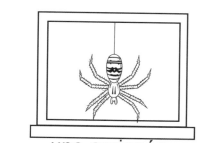

une araignée

un perroquet

un cochon d'Inde

une souris

un chien

un poisson

un lapin

une tortue

NOM _____

un chat

un cheval

un cochon

un mouton

un chien

une vache

une souris

NOM _____

CARTE DE JEUX

un mouton		un poisson	
un chat		une souris	
un cheval		un cochon	
une tortue		un chien	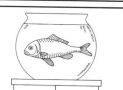
une araignée		une vache	
un cochon d'Inde		un lapin	
un perroquet		un serpent	

CHERCHE LES ANIMAUX!

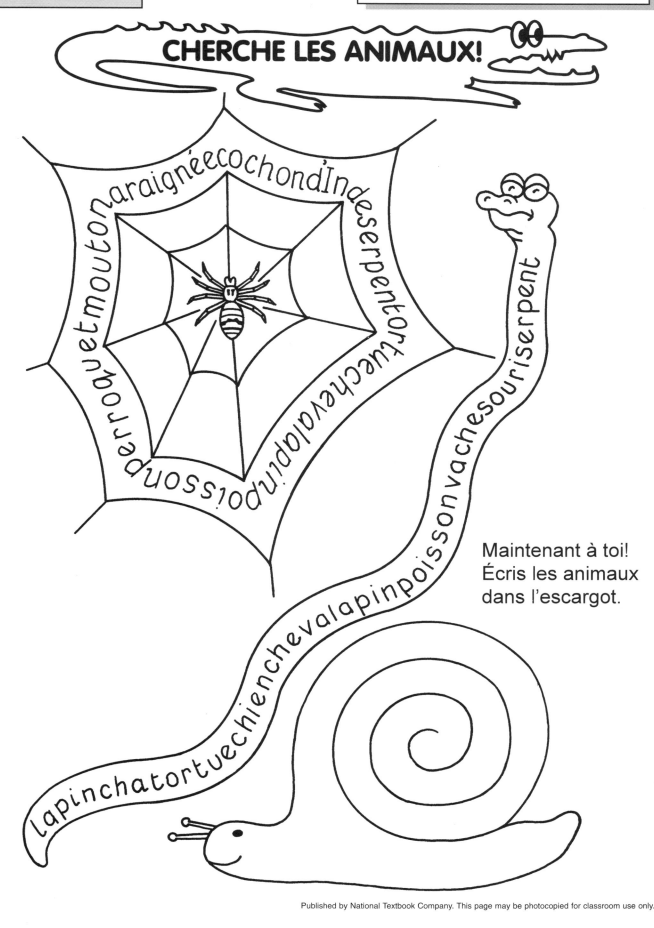

Maintenant à toi!
Écris les animaux
dans l'escargot.

NOM _____

TROUVE LES MOTS!

S	O	U	A	N	O	T	U	O	M
P	E	R	R	O	Q	U	E	T	U
E	P	R	A	E	S	C	T	O	N
L	A	P	I	N	I	H	A	R	O
C	H	E	G	R	U	E	H	T	S
O	A	I	N	S	O	V	C	U	S
C	V	H	E	H	C	A	V	E	I
H	E	C	E	N	O	L	T	O	O
O	S	I	R	U	O	S	U	M	P
N	A	T	O	G	R	A	C	S	E

NOM _____

C'EST POUR QUI?

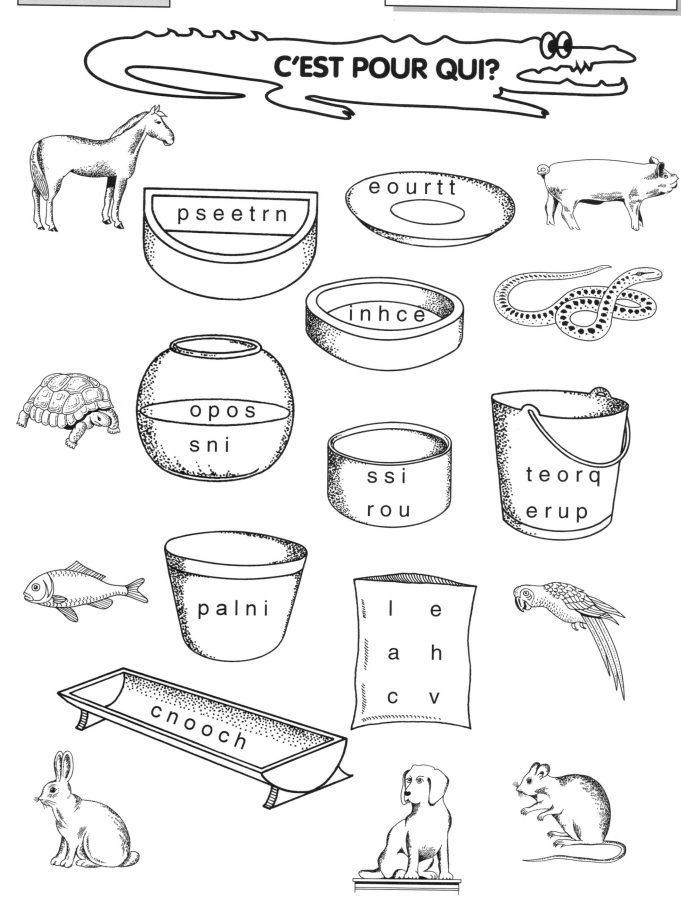

pseetrn

eourtt

inhce

opos
sni

ssi
rou

teorq
erup

palni

l	e
a	h
c	v

cnooch

NOM _____

CHEZ MOI

Bonjour, je m'appelle Sandrine et chez moi j'ai _____ _____ .

Salut, je m'appelle Yves et j'ai _____ _____ .

Bonjour, je m'appelle Marc. J'ai un _____ .

Salut, je m'appelle Magali. J'aime les animaux et moi, j'ai deux _____ .

Bonjour, je m'appelle José et j'ai _____ _____ .

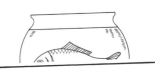

Salut, je m'appelle Cathy et j'ai _____ _____ , _____ et _____ .

Mots croisés

NOM _____

EN VILLE

le syndicat d'initiative

i

l'hôtel de ville

l'église

la banque

le café

le musée

le parking

le cinéma

le supermarché

la poste

le commissariat

le parc

la piscine

le marché

le collège

la gare

le centre sportif

NOM _____

CARTE DE JEUX

	le supermarché		la gare
	la poste		le café
	la piscine		le collège
	le syndicat d'initiative		l'église
	l'hôtel de ville		le musée
	le cinéma		le commissariat
	la banque		le centre sportif
	le parking		le marché

NOM _____

JE RENTRE CHEZ MOI.

Commence au collège!	parc →	café →	syndicat d'initiative →	Tu es perdu?
poste →	collège →	piscine →	cinéma →	poste →
gare →	commissariat →	église →	musée →	gare →
centre sportif →	banque →	supermarché →	parc →	banque →
musée →	hôtel de ville →	piscine →	parking →	CHEZ MOI! →

Où vas-tu pour rentrer à la maison?

1	2	3	4
5	6	7	8
9	10	11	12
13	14	15	16

NOM _____

LES PLANS DE LA VILLE

Regarde ici ....

... et puis ici!

Regarde ici!

_____ a changé	✓
la banque	
le marché	
la poste	
le café	
le commissariat	
le cinéma	
le syndicat d'initiative	
la piscine	
le musée	
le collège	

A.

C	O	L
E	L	L
E	G	E

B.

I	N	L
C	E	A
S	I	P

C.

L	A	M
E	*	E
C	I	N

D.

A	B	A
N	*	L
Q	U	E

NOM _____

OÙ VAS-TU?

p_sc_n_

c_n_m_

synd_c_t
d'_n_t_ _t_v_

s_p_rm_rch_

p_st_

c_mm_ss_ri_t

c_ll_g_

m_s_ _

c_ntr_
sp_rt_f

h_t_l d_ v_ll_

Le Tracmots

Cherche les dix
mots cachés!

Écris la liste!

T	A	I	R	A	S	S	I	M	M	O	C
S	U	N	G	D	O	N	C	U	C	L	O
Y	U	O	A	N	E	I	B	S	E	E	L
N	G	P	R	A	L	L	E	E	N	N	L
D	R	I	E	G	L	I	S	E	T	I	E
I	A	S	F	R	U	V	A	C	R	C	G
C	N	A	B	Z	M	E	D	W	Y	S	E
A	V	I	L	L	E	A	M	E	N	I	C
T	A	N	E	N	E	M	R	A	T	P	X
U	S	E	T	S	O	P	O	C	A	F	E
N	S	U	O	T	I	T	E	P	H	O	R
E	E	F	H	O	B	A	N	Q	U	E	O

_____

_____

_____

_____

_____

_____

_____

_____

EN VILLE : UN QUIZ

1. Je veux faire du shopping. Je vais

    a) à la piscine.
    b) au marché.
    c) au musée.

2. Pour jouer au basket, je vais

    a) au supermarché.
    b) au café.
    c) au centre sportif.

3. Je peux acheter un timbre

    a) à l'église.
    b) au commissariat.
    c) à la poste.

4. J'aime beaucoup l'histoire donc je vais souvent

    a) au musée.
    b) à la banque.
    c) à l'hôtel.

5. Je vais partir en train donc je suis

    a) à la piscine.
    b) à la gare.
    c) au musée.

JE VOUDRAIS ...

regarder un film.

changer de l'argent.

faire de la natation.

demander un renseignement.

manger et boire quelque chose.

IL ME FAUT ...

une piscine.

un cinéma.

une banque.

un café.

un syndicat d'initiative.

NOM _____

LES SPORTS

le football

le basket

le ski

la voile

la danse

le volley

le jogging

le cyclisme

le tennis

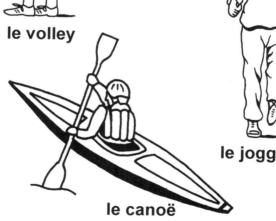

le canoë

l'équitation

la natation

le judo

la gymnastique

NOM _____

CARTE DE JEUX

le football		**la danse**	
le volley		**le tennis**	
le basket		**l'équitation**	
le judo		**la natation**	
le cyclisme		**le jogging**	
la gymnastique		**la voile**	
le ski		**le canoë**	

NOM _____

CHERCHE L'INTRUS!

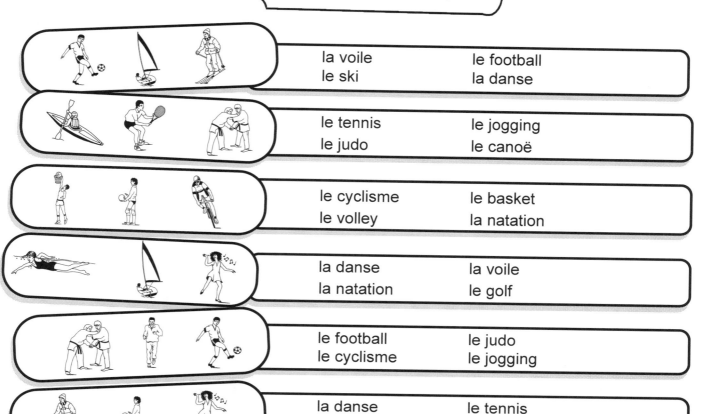

la voile	le football
le ski	la danse

le tennis	le jogging
le judo	le canoë

le cyclisme	le basket
le volley	la natation

la danse	la voile
la natation	le golf

le football	le judo
le cyclisme	le jogging

la danse	le tennis
le volley	le ski

le football   le volley   le golf   l'équitation

 le canoë   la voile   la natation   le jogging

 le squash   le tennis   le cyclisme   le badminton

 le rugby   le football   le ski   le basket

 le judo   la boxe   le karaté   la natation

UN QUIZ

1. Il y a un grand championnat à Wimbledon chaque été.
2. On y joue souvent sur la plage.
3. Il faut du vent pour ce sport!
4. C'est un sport pour les joueurs très grands.
5. C'est le sport national de la France.
6. On va à la montagne pour ce sport.
7. C'est pour les jeunes et les vieux qui aiment la musique.
8. C'est très populaire en France et au Japon.
9. Il faut aimer les animaux pour ce sport!
10. C'est un sport dans la piscine.

le tennis	le cyclisme
la voile	le basket
la natation	le judo
le volley	la danse
l'équitation	le ski

CHERCHE LES SPORTS!

E	L	I	O	V	P	S	K	I	J
N	L	T	R	O	S	I	W	X	O
K	A	R	A	T	E	N	C	O	G
E	B	T	U	V	A	N	U	R	G
M	T	D	A	N	S	E	T	Y	I
S	O	F	O	T	L	T	S	E	N
I	O	O	B	A	I	L	I	L	G
L	F	L	O	G	O	O	N	L	U
C	C	D	D	U	C	A	N	O	E
Y	S	Q	U	A	S	H	E	V	R
C	U	P	J	R	S	P	T	U	O

Regarde les dessins!

... et trois autres? _____ _____ _____

NOM _____

C'EST QUEL SPORT?

1 _____

2 _____

3 _____

4 _____

5 _____

6 _____

7 _____

8 _____

9 _____

10 _____

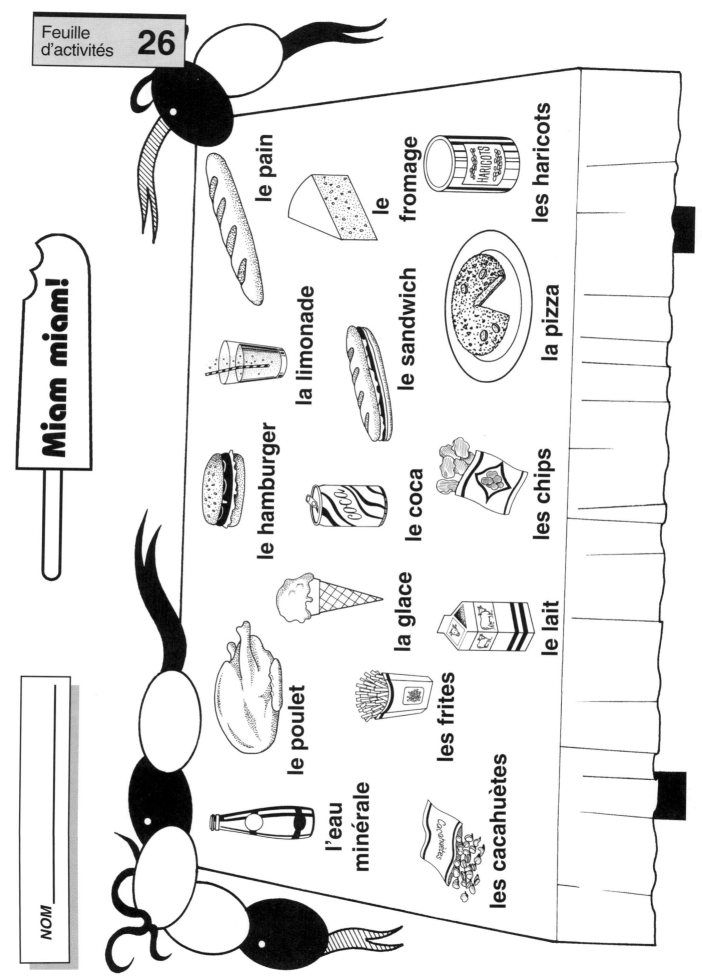

Miam miam!

le pain

le fromage

les haricots

la limonade

le sandwich

la pizza

le hamburger

le coca

les chips

la glace

le lait

le poulet

les frites

l'eau minérale

les cacahuètes

NOM

NOM _____

Carte de jeux

les chips		le hamburger	
l'eau minérale		les haricots	
le fromage		la limonade	
le lait		les cacahuètes	
les frites		le pain	
le coca		la glace	
le poulet		le sandwich	

C'est combien?

NOM _____

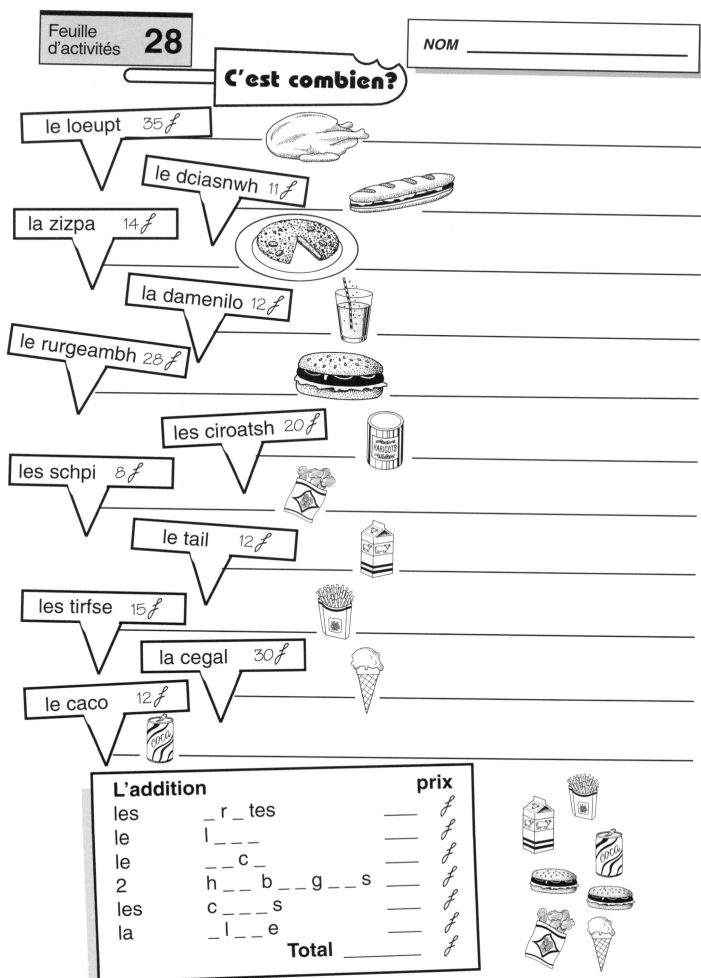

le loeupt   35 ƒ

le dciasnwh   11 ƒ

la zizpa   14 ƒ

la damenilo   12 ƒ

le rurgeambh   28 ƒ

les ciroatsh   20 ƒ

les schpi   8 ƒ

le tail   12 ƒ

les tirfse   15 ƒ

la cegal   30 ƒ

le caco   12 ƒ

L'addition		prix	
les	_ r _ tes	____	ƒ
le	l _ _ _	____	ƒ
le	_ _ c _	____	ƒ
2	h _ _ b _ _ g _ _ s	____	ƒ
les	c _ _ _ s	____	ƒ
la	_ l _ _ e	____	ƒ
	Total ____		ƒ

NOM _____

J'ai mangé ..... !

Combien en as-tu trouvé?

3	sandwichs		pains
	hamburgers		glaces
	cocas		fromages
	poulets		pizzas
	chips		frites

NOM _____

La surprise-partie

À manger

_____

_____

_____

_____

_____

À boire

_____

_____

_____

_____

Choisissez!

1. Les chips sont préparés avec...

   A   des pommes.
   B   des choux.
   C   des pommes de terre.

2. Les anglais mangent les haricots...

   A   avec de la sauce tomate.
   B   en dessert.
   C   dans leur thé.

3. La pizza — ça vient...

   A   d'Irlande.
   B   d'Italie.
   C   d'Espagne.

4. Le camembert c'est...

   A   un fruit.
   B   un fromage.
   C   un boisson.

5. La glace — c'est fait avec...

   A   de la crème.
   B   du jus d'orange.
   C   des oignons.

6. Les mûres sont...

   A   des haricots.
   B   des fruits.
   C   des insectes.

7. La confiture — c'est fait avec...

   A   des fruits et du sucre.
   B   des fruits et de la crème.
   C   des fruits et du coca.

8. Le jambon vient...

   A   d'un mouton.
   B   d'une vache.
   C   d'un cochon.

9. Les framboises sont...

   A   rouges.
   B   vertes.
   C   bleues.

10. Les végétariens peuvent manger...

   A   des cacahuètes.
   B   du saucisson.
   C   du pâté.

NOM _____

Les couleurs

jaune

brun

rose

rouge

gris

noir

orange

violet

blanc

crème

or

vert

argent

bleu

NOM _____

Carte de jeux

bleu		rouge	
noir		orange	
gris		brun	
blanc		or	
violet		rose	
jaune		vert	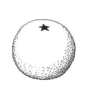
argent		crème	

NOM _____

Le ballon est de quelle couleur?

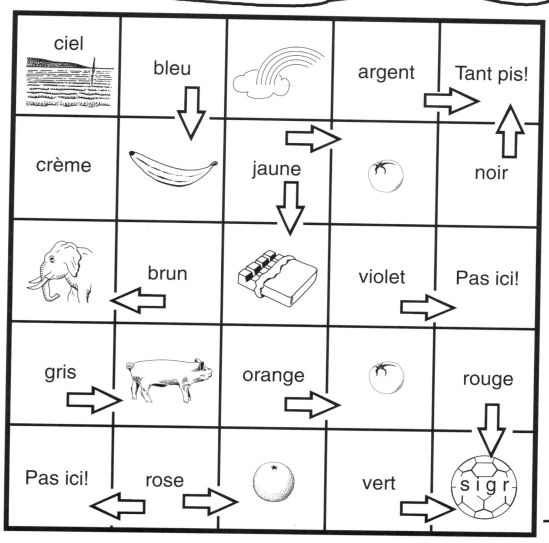

Complète les phrases!

1. Le ciel est _____.

2. La banane est _____.

3. Le chocolat est _____.

4. L'éléphant est _____.

5. Le cochon est _____.

6. L'orange est _____.

7. La tomate est _____.

Et le ballon est _____.

NOM _____

Cherche l'intrus!

(bleu)   vert
rouge   jaune

orange   gris
argent   blanc

brun   rose
violet   noir

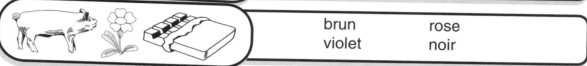
bleu   blanc   rouge   (vert)

rouge   bleu   orange   vert

bleu   brun   orange   vert

rose   noir   brun   blanc

bleu   vert   gris   jaune

Colorie l'arc-en-ciel!

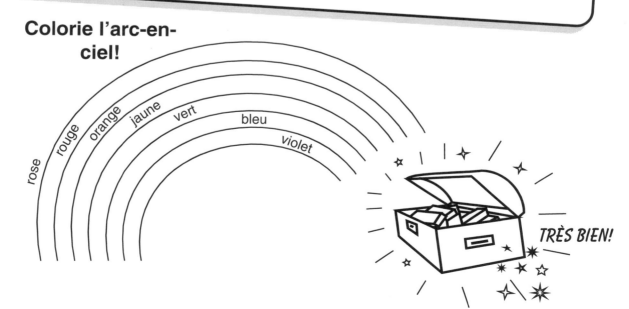

TRÈS BIEN!

NOM _____

Les couleurs jolles!

Les papillons bizarres!

Trouve 5 couleurs!

 ja | eu
 bl | rt
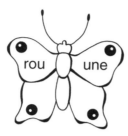 rou | une
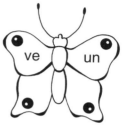 ve | un
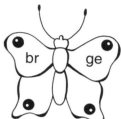 br | ge

1. _____
2. _____
3. _____
4. _____
5. _____

C'est de quelle couleur?

1. _____

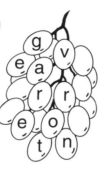

2. _____
3. _____

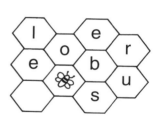

4. _____
5. _____

Des fruits exotiques

 = _____

 = _____

 = _____

 = _____

 = _____

NOM _____

Je suis de quelle couleur?

Ma première est dans gris et dans rose.

Ma deuxième est dans rose et dans noir.

Ma troisième est dans bleu mais pas dans brun.

Ma quatrième est dans vert est dans jaune.

Ma cinquième est dans gris et dans noir.

Ma sixième est dans violet.

Je suis le _ _ _ _ _ _.

Dessine-moi et puis colorie! ➤

Je suis de quelle couleur? _ _ _ _ _

Colorie et écris des phrases!

cercle   triangle   carré

2 triangles sont noirs. _____

_____

_____

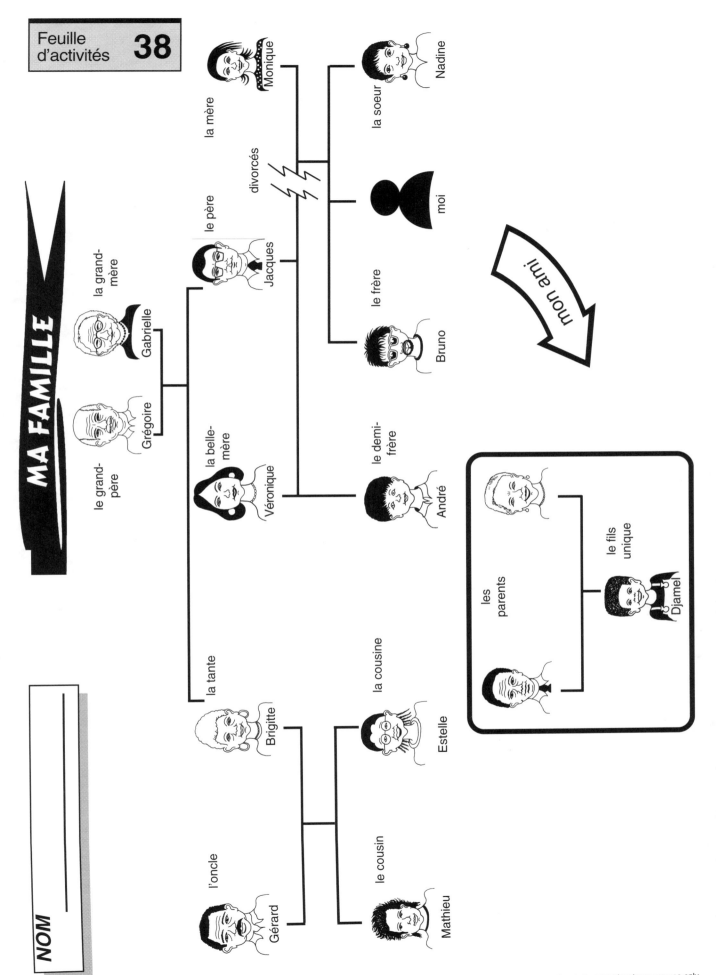

NOM

MA FAMILLE

le grand-père — Grégoire
la grand-mère — Gabrielle

le père — Jacques
la belle-mère — Véronique
la mère — Monique

la tante — Brigitte
l'oncle — Gérard

la soeur — Nadine
moi
le frère — Bruno
le demi-frère — André

la cousine — Estelle
le cousin — Mathieu

divorcés

mon ami!

les parents
le fils unique — Djamel

NOM _____

CARTE DE JEUX

le fils unique	Jacques	**la cousine**	Gérard
le père	 Monique	**l'oncle**	 Brigitte
la mère	 Nadine	**la tante**	Gabrielle
la soeur	 Bruno	**la grand-mère**	 Grégoire
le frère	 André	**le grand-père**	 Véronique
le demi-frère	 Mathieu	**la belle-mère**	
le cousin	 Estelle	**les parents**	 Djamel

LE TRACMOTS

Cherche la famille!

A	B	P	E	R	F	R	E	R	E
S	O	E	U	R	R	F	E	R	D
F	N	R	L	O	E	C	G	E	P
E	C	E	S	L	R	T	M	R	B
N	L	U	O	E	E	I	U	E	E
I	E	R	E	R	F	M	O	R	A
S	O	E	U	R	S	Y	E	F	U
U	E	R	E	T	N	A	T	R	P
O	G	R	A	N	D	P	E	R	E
C	E	O	N	I	S	U	O	C	R
F	I	L	S	U	N	I	Q	U	E

Combien de frères et de soeurs as-tu trouvés?

NOM _____

COMPLÈTE LES CASES!

Les parents

1. Le père

2.

Les grands-parents

1.

2.

La famille

1.

2.

3.

4.

La famille de la soeur de mon père
1.

2.

3.

4.

Qui est-ce?

1. GRÉGOIRE _____ est.. ma tante / mon grand-père / ma mère.

2. _____ ESTELLE est.. mon frère / ma cousine / mon cousin.

3. GÉRARD _____ est.. mon père / mon grand-père / mon oncle.

4. _____ MONIQUE est.. ma grand-mère / ma fille / ma mère.

5. ANDRÉ _____ est.. mon demi-frère / mon père / ma soeur.

6. _____ NADINE est.. mon frère / ma belle-mère / ma soeur.

NOM _____

VOICI MA FAMILLE

Pour t'aider ...... LA FAMILLE = [☀] [◆] [♋] [◆] [&] [♌] [☀] [☀] [♐]

LA FAMILLE

1. Bruno est [☀][♐] [♋][♐][≈][♐] _ _ _ _ _ _ _

2. Monique est [☀][◆] [&][♐][≈][♐] _ _ _ _ _

3. Brigitte est [☀][◆] [♑][◆][⧗][♑][♐] _ _ _ _ _ _

4. Jacques est [☀][♐] [♍][♐][≈][♐] _ _ _ _ _ _

5. André est [☀][♐] [♓][≈][&][♌][♋][≈][♐][≈][♐] _ _ _ _ _ _ _-_ _ _ _

6. Grégoire est [☀][♐] [♑][≈][◆][⧗][♓][♍][♐][≈][♐] _ _ _ _ _ _ _ _ _-_ _ _

7. Estelle est [☀][◆] [♎][☾][☺][■][♌][⧗][♐] _ _ _ _ _ _ _ _ _

8. Nadine est [☀][◆] [■][☾][♐][☺][≈] _ _ _ _ _ _ _

9. Gérard est [☀] [☾][⧗][♎][☀][♐] _ '_ _ _ _ _

10. Véronique est [☀][◆] [♈][♐][☀][☀][♐][&][♐][≈][♐] _ _ _ _ _ _ _-_ _ _ _

Et le chien, comment s'appelle-t-il? [♋][☀][♌][♑][♍][♐][≈] _ _ _ _ _ _ _ !

C'est quelle lettre ?

♌	♈	☀	♐	☾	&	≈	■	☺	♎	⧗	◆	♑	♓	♍	♑	♋
			R													

UNE LETTRE

Salut!

Je m'appelle Bruno. J'ai 12 ans et j'habite Lyon. Voici une photo de

ma  .

Dans ma  il y a six personnes.

J'ai un et une . Mon s'appelle Jacques.

Il est grand. Ma s'appelle Monique.

Mes grands-parents habitent chez nous aussi.

Mon et ma sont très sympas!

J'ai un et un .

J'aime les animaux et la aussi!

Et toi, il y a combien de personnes dans ta famille?

Écris-moi une lettre!

Amitiés,

Bruno

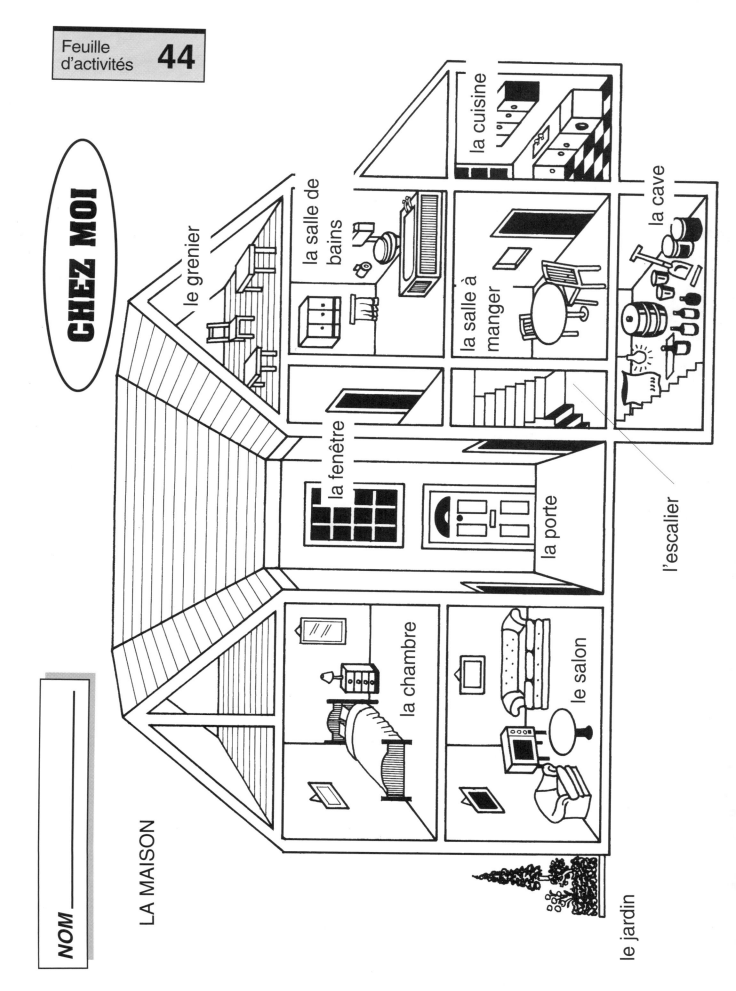

NOM

CHEZ MOI

LA MAISON

le grenier

la cuisine

la salle de bains

la salle à manger

la cave

la fenêtre

la porte

l'escalier

la chambre

le salon

le jardin

NOM _____

CARTE DE JEUX

la cave		**le jardin**	
la chambre		**le salon**	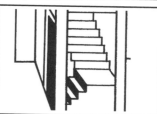
la salle à manger		**l'escalier**	
le grenier		**la maison**	
la porte		**la cuisine**	
la fenêtre		**la salle de bains**	

NOM _____

C'EST QUELLE PIÈCE?

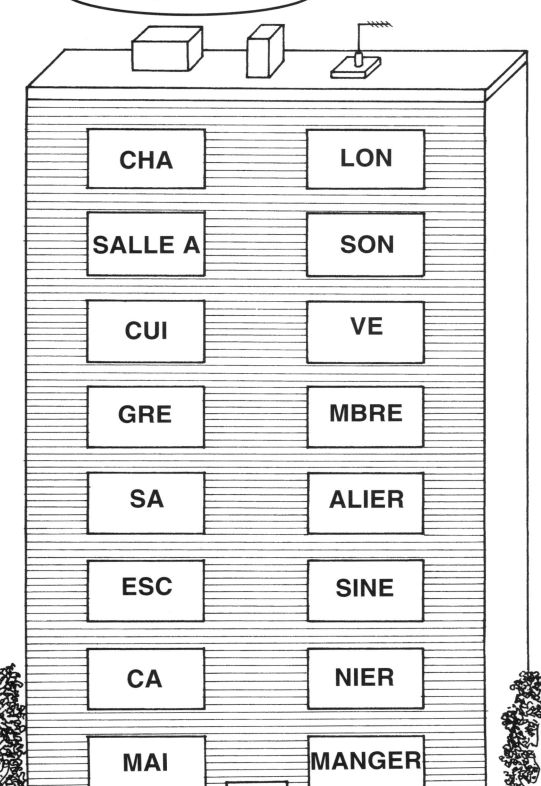

CHA	LON
SALLE A	SON
CUI	VE
GRE	MBRE
SA	ALIER
ESC	SINE
CA	NIER
MAI	MANGER

NOM _____

C'EST DANS LA MAISON

1. Je regarde la télévision.

2. Je prends le petit déjeuner.

3. Je dors.

4. Je cherche un bon vin.

5. Je prépare un repas.

6. Je prends une douche.

7. Je vais au premier étage.

8. Je regarde les fleurs.

Je suis dans ...

.. la chambre.

.. le jardin.

.. la salle à manger.

.. la cuisine.

.. la cave.

.. la salle de bains.

.. le salon.

.. l'escalier.

C'est où ?

S	A	L	L
R	C	A	E
E	E	V	A
G	N	A	M

E	R	G	E
N	✳	✳	N
I	E	R	I
C	U	I	S

F	E	N	E
L	I	E	T
A	✳	R	R
C	S	E	E

1. _____

2. _____

1. _____

2. _____

1. _____

2. _____

NOM _____

C'EST OÙ?

Cherche bien!

1 *C'est la chambre.* ✓

2 _____

3 _____

4 _____

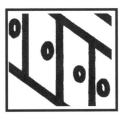

5 _____

6 _____

7 _____

8 _____

9 _____

10 _____

NOM _____

UNE LETTRE

Salut !

Finalement on a déménagé ! C'est super, la nouvelle  .

Il y a un grand et la est rouge!

Au rez-de-chaussée il y a  et .

Il y a aussi une grande .

Dans le hall il y a une en haut de .

Au premier étage il y a trois et une  ,

mais dans le  il y a des !!

Nous avons aussi  pour le  .

Il faut la voir, cette maison, mais je n'ai pas encore de photos!

Amitiés,

Patricia

Dessine un plan de la maison!

NOTES

NOTES

NOTES